De : Ariane
À : Audrey

Anouchka et la magie de Noël

Catalogage avant publication de Bibliothèque et Archives du Québec et Bibliothèque Canada

Gravier, Annie

7. Anouchka et la magie de Noël
(Le monde merveilleux d'Anouchka)
Pour enfants de 7 à 9 ans.

ISBN 978-2-89647-068-6

I. Titre. II. Collection: Gravier, Annie. Monde merveilleux d'Anouchka.

PS8613.R384A785 2008 jC843'.6 C2007-942150-4
PS9613.R384A785 2008

Les Éditions Hurtubise HMH bénéficient du soutien financier des institutions suivantes pour leurs activités d'édition:

- Conseil des Arts du Canada;
- Gouvernement du Canada par l'entremise du Programme d'aide au développement de l'industrie de l'édition (PADIÉ);
- Société de développement des entreprises culturelles du Québec (SODEC);
- Gouvernement du Québec par l'entremise du programme de crédit d'impôt pour l'édition de livres.

Éditrice jeunesse: Nathalie Savaria
Illustrations: Roselyne Cazazian, Studio Kazaz
Conception de la maquette: Diane Lanteigne
Graphisme et mise en page: La boîte de Pandore

Téléphone: (514) 523-1523 – Télécopieur: (514) 523-9969
www.hurtubisehmh.com

ISBN 978-2-89647-068-6

Distribution en France
Librairie du Québec/DNM
www.librairieduquebec.fr

Dépôt légal/2e trimestre 2008
Bibliothèque nationale du Canada
Bibliothèque nationale du Québec

Imprimé en Malaisie

À lire également
dans la pétillante série

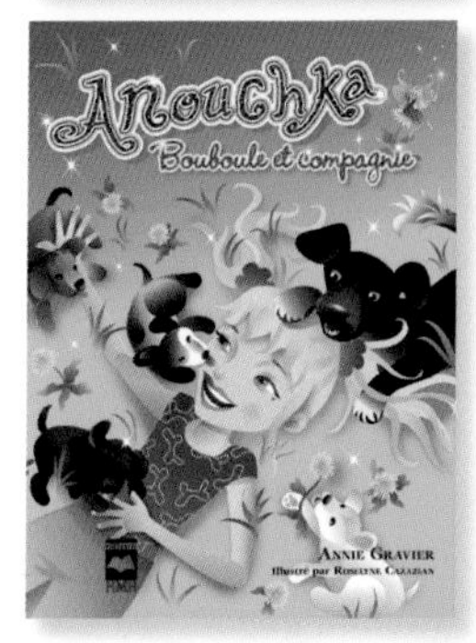

1

Ma lettre au père Noël

J'adore le mois de décembre ! C'est le temps de la première neige, des maisons en pain d'épices et des balcons illuminés.

Tout le monde se prépare pour fêter Noël en famille. Les fées sont ultra-occupées à cette période de l'année, car même les adultes leur confient mille et un souhaits.

Chez moi, j'ai la permission de décorer le sapin de Noël comme je veux, pourvu que je nettoie tout après. Ça équivaut à quatre heures de ménage intensif pour cinq jours de créativité maximale dans un environnement de laisser-aller total. Ça vaut la peine !

Cette année, je me suis surpassée, j'ai créé le sapin de mes rêves. Pour souligner cet événement, j'ai invité Lili et Pomket à assister au grand dévoilement de mon œuvre.

— Les filles, je vous demande de fermer les yeux et de ne pas les ouvrir avant que je vous le dise... OK, MAINTENANT ! ai-je lancé, toute joyeuse de leur montrer ma création.

— Anouchka ! Il est trop beau ! s'est exclamée Pomket, les deux mains sur ses joues. Je n'ai jamais vu un sapin aussi original !

— Merci ! Je l'ai peint en rouge, la couleur de l'amour. Et à la place des boules de Noël, j'ai opté pour de gros suçons à larges rayures rouges, blanches et roses. C'est très rare ! ai-je précisé avec fierté.

— Les guirlandes sont en boules de gomme ! a remarqué Lili en riant.

— Oui, j'ai utilisé les gommes les plus grosses dans toutes les teintes de rose... Mais ce qui donne vraiment toute sa personnalité à ce sapin, ce sont très certainement les 628 petites lumières jaunes clignotantes que voici, ai-je déclaré en appuyant sur l'interrupteur.

— WOW ! se sont écriées Lili et Pomket, complètement émerveillées.

— Avez-vous vu la petite fée étincelante accrochée tout en haut ? C'est ma plus récente

invention. Elle bat des cils et des ailes en même temps. Adorable, non ?

— TROP ! ont répondu Lili et Pomket en salivant d'admiration.

— Je suis contente que vous l'aimiez parce que j'en ai fait une pour chacune de vous, ai-je ajouté avec un large sourire.

— Oh ! merci ! m'ont dit Lili et Pomket en serrant leur fée contre elles.

— Voulez-vous savoir ce que je vais demander au père Noël cette année ? a enchaîné Lili.

Et, sans nous laisser le temps de répondre, elle a continué :

— Trois poupées de collection, deux jeux vidéo, un pendentif en cristal aux reflets mauve pâle, des livres, des albums de musique et un aquarium mural rempli de poissons tropicaux et de petites sirènes en plastique. Ah oui! et un nouveau poney!

— Moi, je lui ai déjà posté ma lettre. J'ai demandé des nouveaux patins à glace, du papier à musique pour mes prochaines compositions, des crayons fluorescents, des plus gros pots pour mes pissenlits et du tissu orange avec des étoiles turquoise

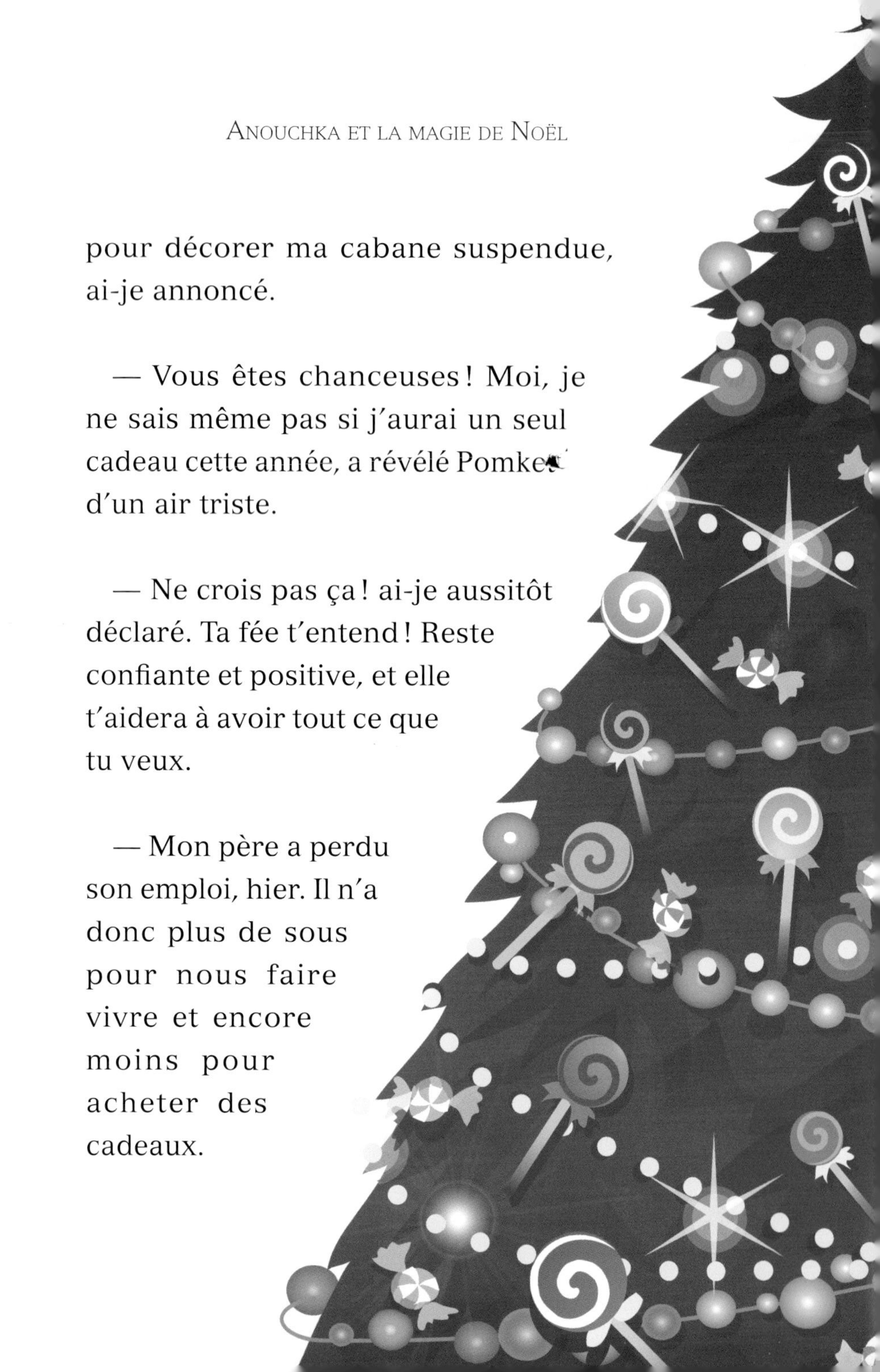

pour décorer ma cabane suspendue, ai-je annoncé.

— Vous êtes chanceuses ! Moi, je ne sais même pas si j'aurai un seul cadeau cette année, a révélé Pomkett d'un air triste.

— Ne crois pas ça ! ai-je aussitôt déclaré. Ta fée t'entend ! Reste confiante et positive, et elle t'aidera à avoir tout ce que tu veux.

— Mon père a perdu son emploi, hier. Il n'a donc plus de sous pour nous faire vivre et encore moins pour acheter des cadeaux.

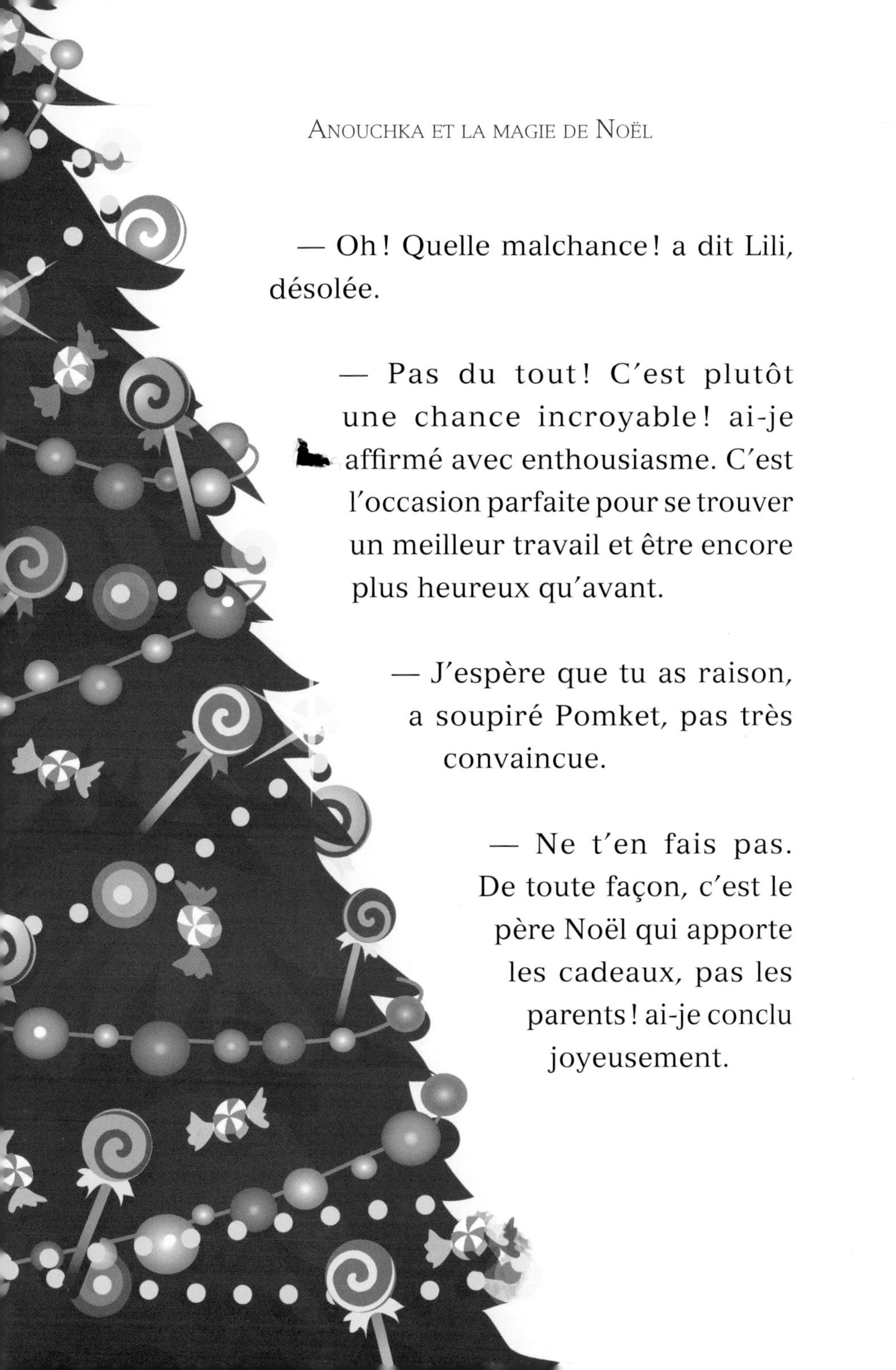

— Oh ! Quelle malchance ! a dit Lili, désolée.

— Pas du tout ! C'est plutôt une chance incroyable ! ai-je affirmé avec enthousiasme. C'est l'occasion parfaite pour se trouver un meilleur travail et être encore plus heureux qu'avant.

— J'espère que tu as raison, a soupiré Pomket, pas très convaincue.

— Ne t'en fais pas. De toute façon, c'est le père Noël qui apporte les cadeaux, pas les parents ! ai-je conclu joyeusement.

2

Les Trois Merveilles

Le lendemain matin, mes parents, ma petite sœur, Bouboule et moi étions en train de faire un bonhomme de neige devant notre maison, quand le facteur est arrivé.

— Bonjour, j'ai une livraison exprès pour Bouboule De La Pétarade du petit bois...

— C'est ici ! ai-je crié d'excitation en me précipitant vers lui. Voici Bouboule.

— Ça vient de loin, a ajouté le facteur en regardant sur la boîte. Un très petit village qui s'appelle Ursuqtuq.

— C'est en Arctique ! C'est Tito, j'en suis sûre ! me suis-je exclamée en bondissant de joie.

— Woaf! a jappé Bouboule en tournant sur elle-même.

— Veuillez signer ici, m'a indiqué le facteur.

J'avais tellement hâte d'ouvrir la boîte que j'ai seulement apposé mes initiales, ADLP. Toute la famille s'est approchée.

— Oh ! regardez ! C'est un nouveau collier de chien avec un médaillon en forme de cœur.

— Ouvre-le, il y a peut-être quelque chose à l'intérieur, a suggéré ma mère.

— Mais oui, le cœur s'ouvre ! Il y a un message gravé : Avec amour, de Locco.

— Wahoooooooo ! a fait Bouboule toute contente.

J'ai attaché le collier à son cou. Il lui allait parfaitement. Nous nous sommes tous regardés d'un air attendri. Bouboule s'ennuyait visiblement de Locco.

— Il y a une carte de Tito avec une photo de lui et de ses chiens, ai-je remarqué. Il nous souhaite un joyeux Noël. Comme c'est gentil ! Nous lui écrirons pour le remercier.

Après avoir terminé notre bonhomme de neige, nous sommes rentrés pour nous réchauffer. Quand il fait froid dehors, ma mère nous prépare toujours des tasses de chocolat chaud. Elle y dépose des petites guimauves à la menthe en forme de sapins faites par ma grand-mère Babouchka. Une autre de ses spécialités...

C'est le bonheur total quand on avale cette boisson unique. Je suis si chanceuse d'avoir une famille comme la mienne ! Je remercie ma fée tous les jours de m'avoir aidée à la trouver.

L'hiver, dès qu'il y a assez de neige, Bouboule et moi faisons de la luge ensemble. Parfois, nous allons rendre visite à Pomket. Elle habite seulement à une glissade de ma cabane suspendue.

Nous n'avons qu'à marcher 124 pas vers la gauche et nous nous retrouvons en haut d'une colline qui offre une vue magnifique ! Nous apercevons souvent des écureuils aux alentours.

Bouboule s'assoit devant et moi, derrière. Je la tiens fort pour ne pas tomber et nous glissons le long de la piste.

Nous avons baptisé cette descente Les Trois Merveilles parce qu'elle dure

exactement trois minutes et trois secondes, et parce qu'elle traverse trois endroits merveilleux.

Elle commence tranquillement en passant par le petit bois, puis elle croise la patinoire en forme de serpent et devient de plus en plus rapide jusqu'à la cabane à sucre. Après, c'est la grande finale : une pente tellement à pic que nous avons l'impression de tomber dans le vide! Nous fermons toujours les yeux à cet endroit.

Notre luge s'immobilise juste devant un escalier en colimaçon qui mène chez Pomket. C'est là qu'on ouvre les yeux. Elle habite dans un petit appartement au-dessus d'un dépanneur avec ses parents, ses quatre petits frères et Boule, un des chiots de Bouboule. C'est un superbe husky blanc aux yeux bleus. Il a beaucoup grandi.

Pomket n'aime pas tellement l'endroit où elle habite. Elle trouve qu'il n'y a pas assez d'espace. Mais moi, je trouve qu'elle est chanceuse.

Imagine, quand elle a besoin de lait ou de pain, elle n'a qu'à descendre et le tour est joué. C'est formidable! Et en plus, sa chambre a la plus belle vue sur la colline! Quand je le lui rappelle, ça lui remonte le moral instantanément et elle sourit.

3

L'emploi de rêve

Quand Bouboule et moi sommes arrivées chez Pomket ce jour-là, son père, monsieur Pierre Noé, jouait dans la neige avec Marco, Milo, Carlo et Julio, âgés de deux à cinq ans.

— Salut, Anouchka ! a dit Marco, le plus vieux, en me lançant deux boules de neige en plein visage.

— Salut... ai-je répondu avec un sourire forcé en m'essuyant.

— Anouchka! Je pensais justement à toi, a lancé Pomket du haut de son balcon. Laissons les chiens s'amuser dehors et monte dans ma chambre. Il faut que nous parlions à nos fées.

— Une réunion de fées. J'adore! ai-je rigolé.

La chambre de Pomket est de couleur vert pomme. C'est très vif. J'aime ça! Au-dessus de son lit, il y a une grande photo de Boule quand il était encore un chiot.

— J'aimerais aider mon père à se trouver un meilleur emploi, mais par où commencer?

— Qu'est-ce que ton père aime le plus faire au monde? ai-je demandé en jonglant avec des balles qui traînaient par terre.

— Il adore Noël, il chante des chansons de Noël toute l'année, même l'été! Comme tu sais, sa passion est le saut en hauteur et c'est aussi un soudeur, a dit Pomket.

— Parfait. Il faut lui trouver un emploi dans lequel il pourrait faire tout ça. Avec un plan, de la débrouillardise et de la confiance en soi, c'est réalisable, ai-je assuré en rattrapant les balles et en les déposant dans sa main. Regardons les emplois offerts dans les journaux. En as-tu à la maison ?

— Non, mais nous n'avons qu'à descendre au dépanneur, a suggéré Pomket, le sourire plein de fierté.

— Oui, mais demandons d'abord l'aide de nos fées. Comme ça, nos recherches iront deux fois plus vite. Voici ce que nous allons affirmer plusieurs fois par jour : « L'emploi de rêve de

Pierre Noé se présente à lui, maintenant! Merci, ma fée!»

— D'accord. Je me sens déjà mieux, a avoué Pomket.

Nous avons longuement épluché les annonces en éliminant tous les emplois ennuyants ou stressants. Qui en voudrait? Nous souhaitions trouver l'emploi de rêve.

— Oh! Anouchka! Ici, à la page 31, ils demandent un père Noël! a annoncé Pomket.

— Montre-moi ça! ai-je lancé en m'approchant du journal. «Nous recherchons un homme pour travailler comme père Noël. Doit être en forme et aimer les enfants. Appelez l'Association des pères Noël.»

— Tu vois? Ça a l'air bien. Nous devrions montrer cette annonce à mon père.

— Je me demande s'ils ont eu l'autorisation du vrai père Noël au pôle Nord, ai-je pensé à voix haute. En tout cas, c'est joyeux comme emploi ! ai-je ajouté en souriant.

Le père de Pomket s'est mis à rire quand il a entendu ça, mais Pomket et moi étions tout à fait sérieuses. Nous trouvions qu'il serait bon

dans le rôle du père Noël. Il est très en forme et adore les enfants.

— Et puisque vous êtes soudeur, vous pourrez construire votre propre traîneau de père Noël! ai-je déclaré.

— Ou une moto, a suggéré le petit Carlo, les yeux tout pétillants.

— Ha! Ha! Un père Noël en moto! a rigolé monsieur Noé.

— Oui, papa, fais le père Noël! ont répété ses quatre petits garçons.

L'admiration qu'il voyait dans les yeux de ses enfants a touché monsieur Noé au cœur et l'a incité à passer à l'action.

— Pourquoi pas! a-t-il dit en lançant un sourire à sa femme. Après tout, je connais toutes les chansons du père Noël. J'ai les mêmes initiales que lui et mon garage est rempli de matériaux pour construire un véhicule de père Noël. J'appelle tout de suite l'Association.

La mère de Pomket, Gloria, approuvait l'idée. L'important était que son mari fasse un travail qu'il aimait. Quelques minutes plus tard, il est revenu nous dire qu'il avait une entrevue le lendemain matin.

— Tu vois, Pomket, nos fées ont commencé à travailler pour nous, lui ai-je soufflé à l'oreille en enfilant mon manteau. Il faut leur dire merci.

Allez ! Bouboule, il est temps de rentrer pour souper. Maman a fait sa fameuse sauce à spaghetti ce soir. Celle avec des énormes boulettes de viande !

4

Le président du firmament

Le père de Pomket est entré tout souriant dans la salle d'attente de l'Association des pères Noël. Sur la porte du président, une plaque en or portait l'inscription suivante : Le président du firmament.

Il avait remporté cet honneur pour avoir été le premier à se jeter dans les eaux glaciales d'un lac, lors du 50e congrès mondial des pères Noël, au Danemark.

Quand monsieur Noé a été appelé, il est entré en chantant une chanson de Noël avec vigueur et enthousiasme. Le président a eu l'air très surpris en le voyant. Il avait trois paires de lunettes accrochées à son cou et il les a enfilées l'une après l'autre.

— Vous êtes monsieur Noé ? a-t-il demandé sur un ton hésitant.

— Oui, a répondu le père de Pomket. Nous nous sommes parlé, hier, au téléphone. Je suis heureux de vous rencontrer.

— Et... euh... vous voulez travailler comme père Noël ? a questionné le président, étonné.

— Oui, j'adore Noël, j'aime les enfants et je suis prêt à tout pour obtenir ce travail.

— Mais, monsieur, ça ne va pas du tout. Nous recherchons un vieil homme qui ressemble... euh... au vrai père Noël ! a dit le président.

— Je ne suis pas si vieux, c'est vrai, mais avec le déguisement et la voix grave, je serai très convaincant, vous verrez !

— Je vois. Euh... combien d'années d'expérience avez-vous comme père Noël ?

— Je n'ai peut-être pas d'expérience, mais j'ai la bonne attitude, je sais comment parler aux enfants et j'imite très bien le rire du père Noël.

— Écoutez, monsieur, nous avons des standards à respecter...

— Donnez-moi une chance! a demandé monsieur Noé.

— Je suis désolé, mais je dois refuser votre candidature. Vous n'avez pas... euh... le physique recherché. Comment pourrais-je dire... euh... voyons... Vous n'êtes pas assez... euh... authentique, a conclu le président.

Il était tellement mal à l'aise que des gouttes de sueur perlaient sur son front.

— Je vous remercie quand même de m'avoir reçu. Au revoir, monsieur, a dit le père de Pomket en sortant du bureau.

— Bonne chance, a répondu le président avant d'appeler un autre candidat.

Cet après-midi-là, après l'école, Lili et moi avions accompagné Pomket chez elle pour savoir si son père avait eu l'emploi.

50e Congrès Mondial
des Pères Noël
Président

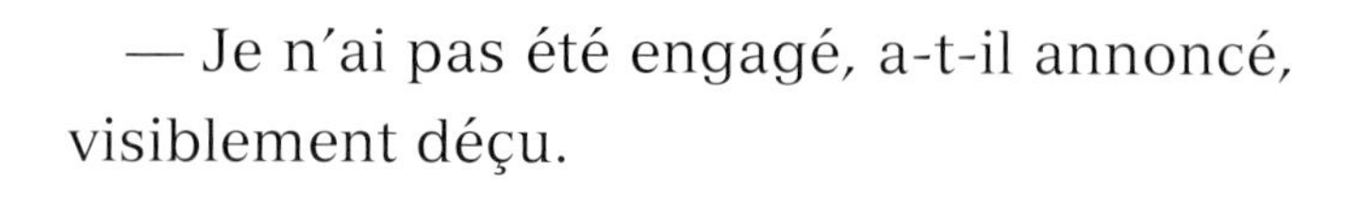

— Je n'ai pas été engagé, a-t-il annoncé, visiblement déçu.

— Mais pourquoi ? a demandé Pomket.

— Le président a dit que je n'avais pas le physique.

— Alors, qu'est-ce que vous allez faire ? ai-je demandé à monsieur Noé en croquant une dragée verte.

— Que veux-tu dire, Anouchka ? Je n'ai pas eu le travail. Ça s'arrête là.

— Ah non ! Nous avons toujours deux options : abandonner ou persévérer. Qu'allez-vous choisir ?

— Tu as raison. Ce n'est pas parce que quelqu'un me dit non que je vais me décourager.

— Les difficultés de la vie, c'est fait pour jouer à saute-mouton : on saute par-dessus et on continue. C'est l'occasion de vérifier si on a du caractère, ai-je affirmé.

— Quelle merveilleuse façon de voir les choses ! Et en plus, tu viens de me donner une idée fabuleuse, s'est exclamé monsieur Noé. Les enfants, j'ai décidé d'être un père Noël et je surmonterai tous les obstacles pour y arriver !

— Bravo, papa, a dit Pomket en serrant son père dans ses bras.

Le père de Pomket avait pris la bonne décision. Un plan d'action combiné à une attitude positive mènent tout droit au succès. C'est certain. Ma fée me l'a prouvé plus d'une fois.

5

Des cousines par milliers

Les quatre petits frères de Pomket, eux, étaient inconsolables. Ils auraient tant aimé que leur père soit choisi.

Lassées de les entendre pleurnicher, Lili et Pomket sont allées voir ce qui sentait si bon dans la cuisine. Moi, j'ai décidé de prendre les grands moyens pour remonter le moral aux garçons.

— Approchez, tous les quatre. Je vais vous dévoiler un grand secret que je n'ai jamais dit à personne, même pas à Lili et Pomket, ai-je chuchoté.

Ils sont vite venus vers moi sans faire de bruit et m'ont regardée avec de grands yeux. J'avais toute leur attention. J'ai pris une grande inspiration, je me suis penchée vers eux et je leur ai dit:

— Ma fée est la cousine du père Noël!

— QUOI? s'est exclamé Marco. Ta fée est dans la même famille que le vrai père Noël?

— Oui, et c'est elle qui l'aide à réaliser des souhaits quand il est trop occupé.

— C'est pour ça que tu as toujours tout ce que tu demandes! a lancé Carlo.

— Exactement! ai-je conclu en riant.

Mais ce n'est pas la seule à l'aider. TOUTES les fées sont les cousines du père Noël. Les vôtres aussi ! Il y en a des milliers dans tous les pays du monde. Il les écoute toujours attentivement et fait l'impossible pour exaucer les souhaits de chacun. À une condition…

— Laquelle ? a demandé Julio.

— Il faut croire au père Noël. Il faut croire en lui à 100 %. Pas à 80 % ou à 98 %, mais à 100 %. Et alors là…

— Quoi ? Quoi ? ont insisté les petits.

— Alors là, TOUS les souhaits sont réalisables, ai-je déclaré en les regardant droit dans les yeux.

— Pour vrai ? a demandé Marco.

— Oui, parole d'Anouchka ! Quand ça se produit, les adultes appellent ça des coïncidences inexplicables ou de la chance incroyable, mais moi, j'appelle ça la magie de Noël.

— Wow ! ont-ils soufflé, sidérés.

— Fermez vos yeux et imaginez le cadeau qui vous ferait le plus plaisir. Voyez-le dans vos mains et ressentez la joie que vous avez en le déballant. Si vous arrivez à faire ça, alors votre fée passera votre commande directement au père Noël et votre souhait se réalisera.

— Moi, je le fais ! a dit Julio.

— Moi aussi, ont répondu les trois autres en joignant leurs petites mains en position de prière.

Bravo, Anouchka ! Même moi, j'y ai cru, a dit le père de Pomket qui écoutait derrière la porte.

— La magie de Noël, ça existe. Cette année, j'ai demandé à ma fée qu'elle m'accorde mon souhait le plus cher : rencontrer le vrai père Noël.

Le père de Pomket m'a regardée, songeur, puis a quitté la pièce sans un mot.

Ce soir-là, après avoir chanté des chansons de Noël à ses enfants pour les endormir, il s'est rendu dans son garage et a travaillé toute la nuit pour construire son propre traîneau de père Noël à partir de matériaux recyclés.

Il a imaginé un véhicule lumineux, pratique et capable de rouler sur la neige. Fer à souder à la main, il a posé des roues de moto et un siège d'auto sur un vélo et l'a recouvert de lumières jaunes. Mais il fallait aussi une remorque pour

mettre le gros sac de cadeaux. Quatre heures plus tard, le sourire aux lèvres, il a recouvert sa création d'un grand drap pour garder le secret.

6

Des cadeaux qui tombent du ciel

La semaine suivante, après avoir confectionné son costume et testé son invention avec succès, il a pris rendez-vous avec le directeur de notre école pour proposer ses services de père Noël.

Monsieur Noé avait préparé une mise en scène spectaculaire qui plairait sans aucun doute aux élèves. Il avait parlé à sa fée et c'est avec confiance et détermination qu'il est allé présenter son projet au directeur.

Après avoir écouté attentivement le père de Pomket, le directeur s'est levé et a commencé à faire les cent pas dans son bureau.

— Votre plan est très ingénieux ! Un peu risqué, mais si ça fonctionne, ça serait du jamais-vu, a-t-il déclaré.

— Il n'y a aucun danger. Tout ce que je vous demande, c'est de faire sortir les enfants devant l'école, demain à 14 h. C'est à ce moment-là que je commencerai mon numéro, a dit monsieur Noé.

— C'est d'accord, a confirmé le directeur en lui serrant la main. Demain, à 14 h.

— Merci, monsieur le directeur !

Le lendemain, à 13 h 58, le père de Pomket était caché derrière l'école, tout au fond de la cour. Les 212 enfants de l'école Découvre ton

talent, choisis ton instrument étaient dehors en avant. Ils ne savaient pas pourquoi. Les professeurs leur avaient seulement dit que c'était une surprise.

À 14 h exactement, monsieur Noé, déguisé en père Noël, est descendu du ciel et a atterri sur le toit de l'école.

— Regardez ! Il a volé ! Il est arrivé de nulle part ! s'est exclamé un petit garçon.

— Ohhhhh ! ont crié les enseignants et les élèves qui n'en croyaient pas leurs yeux.

Monsieur Noé a ouvert grands les bras pour saluer les enfants, a sorti un micro sans fil de son manteau rouge et a commencé à chanter et à danser sur un air de Noël. Tous les enfants

riaient et dansaient dans la neige au son de la musique.

Pomket pleurait de joie tellement elle était fière de son père. Il chantait très bien et faisait même des culbutes dans les airs. Il a eu droit à des applaudissements interminables.

À la fin de la troisième chanson, il a soulevé son énorme sac rempli de cadeaux et a lancé aux enfants 212 cadeaux emballés, du haut du toit de l'école.

La foule a poussé un autre cri de pur émerveillement. Pour que les cadeaux ne se brisent pas en touchant le sol, monsieur Noé avait attaché un miniparachute en plastique autour de chaque paquet.

Tous les enfants ont levé leurs bras vers les cadeaux qui tombaient du ciel au ralenti. C'était magique!

Chaque enfant a reçu un gros sucre d'orge rouge en forme de cœur. C'est Gloria qui avait préparé ces friandises. Puis, le père de Pomket est apparu devant l'école sur son vélo lumineux pour offrir aux enfants de l'essayer à leur tour.

Le directeur de l'école a été très impressionné.

Durant les semaines qui ont suivi, le père de Pomket a été engagé dans cinq écoles, trois Clubs optimistes, deux bibliothèques et une garderie. Tout le monde voulait le père Noël chantant qui atterrissait mystérieusement sur les toits et qui repartait sur son incroyable vélo lumineux.

Son truc ? Il se plaçait derrière le bâtiment qui ne devait pas faire plus de deux étages. Autre critère obligatoire : le toit devait être plat. Il enfilait les bandoulières de son gros

sac de cadeaux qu'il avait fabriqué comme un sac à dos et sortait sa perche de saut en hauteur rétractable. Il courait ensuite à toute vitesse et s'en servait pour se hisser sur le toit et retomber sur ses deux pieds. Personne ne voyait la perche qu'il avait lâchée juste avant d'atterrir sur le toit. L'effet était sensationnel. Nous avions vraiment l'impression qu'il descendait du ciel.

Une chaîne stéréo avait été installée à l'avance sur le toit, ainsi qu'un minitrampoline pour rehausser ses culbutes. Après avoir lancé les cadeaux, il redescendait derrière l'édifice à l'aide d'une échelle. Son vélo lumineux l'attendait et il faisait le tour de l'immeuble pour réapparaître devant les enfants.

Le père de Pomket avait trouvé une façon de combiner ses goûts et ses talents pour se créer son propre emploi de rêve. Il était beaucoup plus heureux qu'avant.

7 Pépé n'a pas été sage

Monsieur Noé était devenu très occupé, alors que l'Association des pères Noël avait moins de travail que les autres années.

Le « président du firmament » était très étonné par l'immense popularité du père Noël Noé. Il regrettait de ne pas lui avoir donné une chance. Même les journaux locaux parlaient de lui comme d'un héros.

Plusieurs pères Noël de l'Association avaient vu le spectacle de monsieur Noé et le trouvaient très bon. «Quelle créativité!» disaient-ils entre eux.

Ils en parlaient tellement que le président avait décidé d'aller voir ça de ses propres yeux.

Malheureusement, lors du dernier spectacle de monsieur Noé à la bibliothèque du village, quelqu'un avait crevé les deux pneus de son vélo lumineux.

J'ai été très triste quand Pomket m'a dit ça. Son père n'avait pas pu terminer son numéro ce jour-là. Ce sont les enfants qui ont eu de la peine. Le père de Pomket a été obligé de s'acheter deux nouveaux pneus en utilisant tout l'argent qu'il avait gagné.

Le spectacle suivant devait avoir lieu à la garderie du village. Le président était parmi la foule et a été totalement stupéfait lorsqu'il a vu monsieur Noé atterrir sur le toit en père Noël.

En regardant les réactions favorables du public, il a aperçu un de ses amis qui s'en allait. Tout le monde le surnomme Pépé parce que, à 87 ans, c'est le plus vieux père Noël de l'Association.

— Hé, Pépé ! a crié le président pour le saluer. Mais le vieil homme ne s'est pas retourné.

Voulant absolument lui dire bonjour, le président l'a suivi jusque derrière la garderie. Arrivé dans son dos, il a lancé, d'un ton joyeux :

— Comment vas-tu, Pépé ?

Le vieux pépé a tellement sursauté qu'il a échappé la pince coupante qu'il tenait.

— Oh ! Mais qu'étais-tu en train de faire ? a demandé le président en la ramassant.

— Il n'est pas un des nôtres. Il nous vole notre emploi, a dit Pépé, les larmes aux yeux.

— Tu allais saboter son vélo pendant qu'il est sur le toit à faire rire les enfants ? Tu devrais avoir honte, Pépé ! La jalousie est un terrible défaut. Tu le sais, le règlement l'interdit, l'a sermonné le président, indigné.

— Je sais, mais...

— Retournons voir le spectacle. Je déciderai de ton sort plus tard. Je crois que tu as beaucoup à apprendre du père Noël Noé. Il fait passer la joie des enfants avant son propre intérêt.

Après avoir vu le spectacle au complet, le président a tellement aimé l'idée du vélo lumineux qu'il a offert un emploi permanent au père de Pomket au sein de l'Association. Il l'a chargé de fabriquer des vélos lumineux pour tous les autres pères Noël.

— Et Pépé, ici présent, sera votre assistant, a-t-il continué en souriant au vieil homme. Il connaît tout le monde au village et ferait n'importe quoi pour travailler, n'est-ce pas, Pépé ?

— Moi ? Devenir l'assistant du plus populaire père Noël du village ? Ce serait un honneur ! a répondu Pépé, soudainement ravi. Mais je n'ai pas été gentil avec vous, a-t-il avoué en s'adressant à monsieur Noé. C'est moi qui ai crevé vos pneus à la bibliothèque. Pardonnez-moi ! Je ne suis qu'un vieil idiot. Je vais tout vous rembourser. Donnez-moi une chance !

— D'accord ! J'accepte le travail, l'assistant et je propose même d'entraîner les plus sportifs au saut à la perche afin qu'il y ait plusieurs pères Noël sur les toits, l'an prochain, a annoncé monsieur Noé en serrant la main du président.

Parce que monsieur Noé a conservé une attitude positive, sa fée a pu le mener directement à son emploi de rêve. Avoue que les fées savent bien faire les choses !

8

La réponse du père Noël

Dans ma famille, nous ouvrons nos cadeaux le matin du 25 décembre, car le vrai père Noël les dépose au pied du sapin durant la nuit.

C'était la veille de Noël et il était 22 h 10. Après un somptueux repas de fête en compagnie de mes oncles, tantes, cousins et cousines, je suis sortie dans ma cour pour jouer le *Concerto pour violon* de Tchaïkovski.

C'est ma façon de remercier le père Noël à l'avance pour tous les beaux cadeaux qu'il m'apportera durant la nuit. Toute ma famille a formé un cercle autour de moi.

Je me suis placée debout devant mon lutrin et j'ai fixé une minilampe de poche sur ma tuque avec du ruban décoratif pour illuminer ma partition musicale. Tout le monde s'est mis à rire, surtout mon grand cousin Patrick.

Et là, j'ai joué avec tout mon cœur. Cette fois, tout le monde a pleuré. Pas parce que c'était triste, mais parce que c'était beau.

Le son de mon violon résonnait jusqu'aux oreilles des vaches à deux taches dans la nuit étoilée. Je suis sûre que même les rennes et les lutins du père Noël pouvaient m'entendre.

Je me suis ensuite couchée à 23 h, complètement épuisée. C'est durant cette nuit de Noël que la plus merveilleuse des choses s'est produite.

Je dormais dans mon lit quand, tout à coup, j'ai entendu quelqu'un marcher dans le salon. J'ai ouvert un œil, puis l'autre.

Bouboule, qui était allongée à mes pieds, a immédiatement redressé ses oreilles. Je lui ai fait signe de ne pas faire de bruit et de me suivre.

Sur la pointe des pieds, nous avons marché jusque dans le corridor et avons penché nos têtes en même temps pour regarder dans le salon.

C'était le père Noël ! Le vrai ! Il finissait de déposer des cadeaux sous notre sapin de Noël. Je te jure ! J'ai tout de suite remercié ma fée d'avoir exaucé mon souhait le plus cher.

Il était grand et bien gras avec une barbe blanche. Il portait des vêtements de velours rouge et blanc et de grandes bottes noires avec les initiales PN gravées dessus pour père Noël. Je te jure que mon cœur n'avait jamais battu aussi vite de ma vie !

Il a regardé ma petite fée étincelante tout en haut du sapin. Je ne sais pas ce qu'elle lui a dit, mais il s'est mis à rire, avec tendresse. Puis, il lui a serré la main et il est parti par la cheminée. Je n'ai pas eu la chance de voir son visage, mais je suis certaine qu'il était très beau. En tout cas, de dos, il était parfait !

Je suis retournée dans mon lit, les yeux encore pleins d'émotion et je me suis rendormie en rêvant aux belles choses qu'il m'avait apportées.

Le matin de Noël, dès mon réveil, j'ai couru dans le salon. Je souriais tellement que j'avais mal aux joues ! Ma petite sœur et moi poussions de longs cris aigus en nous précipitant sur les cadeaux.

Mes parents sont arrivés, les yeux cernés et les cheveux décoiffés, mais heureux. Ils se sont assis par terre, au pied du sapin, avec nous. J'ai crié de joie en déballant mes cadeaux. Tout ce que j'avais demandé au père Noël était là. Je n'avais plus de voix et je flottais tellement dans le bonheur que c'en était ridicule.

Puis, lorsque j'ai levé les yeux pour regarder ma petite fée, elle m'a fait un clin d'œil. Ni mes parents ni ma sœur ne l'ont remarquée.

Je me suis alors approchée d'elle pour l'observer de plus près.

C'est là que j'ai vu qu'elle tenait un petit bout de papier roulé dans sa main gauche.

Je suis montée sur une chaise pour le prendre. J'avais la bouche toute sèche et mes mains tremblaient. Tu comprends, ça ne pouvait être qu'un message du vrai père Noël !

Je l'ai déroulé lentement, délicatement. C'était écrit, en lettres dorées : « La magie de Noël est en chacun de nous. Pour la voir, il suffit de regarder avec son cœur. Merci à toi, Anouchka, et à

ta fée d'encourager les gens à croire en moi et en eux-mêmes. » Et c'était signé : PN.

Nom d'une vache à deux taches ! Le père Noël m'avait livré un message en personne ! J'ai failli tomber de ma chaise en le réalisant.

J'ai vite mis le bout de papier dans ma poche de pyjama et j'ai regardé autour de moi. Mes parents riaient, ma sœur jouait avec Bouboule et toute la maison sentait la tarte au sucre à la crème.

La magie de Noël était partout. J'ai fermé mes yeux pour mieux la voir. Je souhaite que tu puisses la voir toi aussi. Suis le conseil du père Noël et regarde avec ton cœur.

Joyeux Noël à toi et à toute ta famille !

TABLE DES MATIÈRES